РУССКИЕ
НАРОДНЫЕ
СКАЗКИ

RUSSIAN
FAIRY
TALES

Издательство Людмилы Лисицкой

2005 г.

СОДЕРЖАНИЕ
CONTENTS

КОЛОБОК

Жил—был старик со старухою. Просит старик:

— Испеки, старуха, колобок.

— Из чего печь-то? Муки нету.

— Э-эх, старуха! По коробу поскреби, по сусеку помети; авось муки и наберется.

Взяла старуха крылышко, по коробу поскребла, по сусеку помела, и набралось муки пригоршни с две.

Замесила тесто на сметане, изжарила в масле и положила колобок на окошечко остудить.

Колобок полежал—полежал, да вдруг и покатился — с окна на лавку, с лавки на пол, по полу да к дверям.

Перепрыгнул через порог в сени, из сеней — на крыльцо, с крыльца — на двор, со двора — за ворота, дальше и дальше.

THE BUN

Once there lived an old man and an old woman. The old man said, «Old woman, bake me a bun.»

«What can I make it from? I have no flour.»

«Eh, eh, old woman! Scrape the cupboard, sweep the flour bin, and you will find enough flour.»

The old woman picked up a duster, scraped the cupboard, swept the flour bin and gathered about two handfuls of flour.

She mixed the dough with sour cream, fried it in butter, and put the bun on the window sill to cool.

The bun lay and lay there. Suddenly it rolled off the window sill to the bench, from the bench to the floor, from the floor to the door.

Then it rolled over the threshold to the entrance hall, from the entrance hall to the porch, from the porch to the courtyard, from the courtyard through the gate and on and on.

Катится колобок по дороге, а навстречу ему заяц:

— Колобок, колобок! Я тебя съем!

— Не ешь меня, косой зайчик! Я тебе песенку спою,— сказал колобок и запел:

Я по коробу скребен,
По сусеку метен,
На сметане мешон,
Да в масле жарен,
На окошке стужон;
Я от дедушки ушел,
Я от бабушки ушел,
А от тебя, зайца, не хитро уйти!

И покатился себе дальше; только заяц его и видел!

Катится колобок, а навстречу ему волк:

Колобок, колобок! Я тебя съем!

The bun rolled along the road and met a hare.

«Little bun, little bun, I shall eat you up!» said the hare.

«Don't eat me, slant—eyed hare! I will sing you a song,» said the bun, and sang:

I was scraped from the cupboard
Swept from the bin,
Kneaded with sour cream,
Fried in butter,
And cooled on the sill.
I got away from Grandpa,
I got away from Grandma,
And I'll get away from you, hare!

And the bun rolled away before the hare even saw it move!

The bun rolled on and met a wolf.

«Little bun, little bun, I shall eat you up,» said the wolf.

—Не ешь меня, серый волк! Я тебе песенку спою!

И колобок запел:

Я по коробу скребен,
По сусеку метен,
На сметане мешон,
Да в масле жарен,
На окошке стужон;
Я от дедушки ушел,
Я от бабушки ушел,
Я от зайца ушел,
А от тебя, волка, не хитро уйти!

И покатился себе дальше; только волк его и видел!

Катится колобок, а навстречу ему медведь:

— Колобок, колобок! Я тебя съем.

— Где тебе косолапому, съесть меня! И колобок запел:

Don't eat me, gray wolf! said the bun. «I will sing you a song.»

And the bun sang:

I was scraped from the cupboard
Swept from the bin,
Kneaded with sour cream,
Fried in butter,
And cooled on the sill.
I got away from Grandpa,
I got away from Grandma,
I got away from the hare,
And I'll get away from you, gray wolf!

And the bun rolled away before the wolf even saw it move!

The bun rolled on and met a bear.

«Little bun, little bun, I shall eat you up,» the bear said.

«You will not, pigeon toes!» And the bun sang:

Я по коробу скребен,
По сусеку метен,
На сметане мешон,
Да в масле жарен,
На окошке стужон;
Я от дедушки ушел,
Я от бабушки ушел,
Я от зайца ушел,
Я от волка ушел,
А от тебя, медведь, не хитро уйти!

И опять покатился; только медведь его и видел!

Катится, катится колобок, а навстречу ему лиса:

— Здравствуй, колобок! Какой ты хорошенький!

А колобок запел:

Я по коробу скребен,
Я по сусеку метен,

I was scraped from the cupboard
Swept from the bin,
Kneaded with sour cream,
Fried in butter,
And cooled on the sill.
I got away from Grandpa,
I got away from Grandma,
I got away from the hare,
I got away from the wolf,
And I'll get away from you, big bear!

And again the bun rolled away before the bear even saw it move!

The bun rolled and rolled and met a fox.

«Hello, little bun, how nice you are!» said the fox.

And the bun sang:

I was scraped from the cupboard,
Swept from the bin,

На сметане мешон,
Да в масле жарен,
На окошке стужон;
Я от дедушки ушел,
Я от бабушки ушел,
Я от зайца ушел,
Я от волка ушел,
От медведя ушел,
А от тебя, лиса, и подавно уйду!

— Какая славная песенка! — сказала лиса. — Но ведь я, колобок, стара стала, плохо слышу. Сядь-ка на мою мордочку, да пропой еще разок погромче.

Колобок вскочил лисе на мордочку и запел ту же песню.

— Спасибо, колобок! Славная песенка, еще бы послушала! Сядь-ка на мой язычок, да пропой в последний разок, — сказала лиса и высунула свой язык.

Колобок сдуру прыг ей на язык, а лиса: «Ам!», и съела его.

Kneaded with sour cream,
Fried in butter,
And cooled on the sill.
I got away from Grandpa,
I got away from Grandma,
I got away from the hare,
I got away from the wolf,
I got away from the bear,
And I'll get away from you, old fox.
«What a wonderful song!» said the fox. «But little bun, I have become old now and hard of hearing. Come sit on my snout and sing your song again a little louder.»

The bun jumped up on the fox's snout and sang the same song.

«Thank you, little bun, that was a wonderful song. I'd like to hear it again. Come sit on my tongue and sing it for the last time,» said the fox, sticking out her tongue.

The bun foolishly jumped onto her tongue and —snatch!—she ate it.

РЕПКА

*П*осадил дед репку. Выросла репка большая-пребольшая. Пошел рвать репку: тянет-потянет вытянуть не может!

Позвал дед бабку.

Бабка за дедку,

Дедка за репку —

тянут-потянут, вытянуть не могут!

Пришла внучка.

Внучка за бабку,

Бабка за дедку,

Дедка за репку —

тянут-потянут, вытянуть не могут!

Пришла собачка.

Собачка за внучку,

Внучка за бабку,

Бабка за дедку,

Дедка за репку —

тянут-потянут, вытянуть не могут!

Пришла кошка.

THE TURNIP

*G*randpa planted a turnip. The turnip grew bigger and bigger. Grandpa came to pick the turnip, pulled and pulled but couldn't pull it up!

Grandpa called Grandma.

Grandma pulled Grandpa,

Grandpa pulled the turnip.

They pulled and pulled but couldn't pull it up!

Granddaughter came.

Granddaughter pulled Grandma,

Grandma pulled Grandpa,

Grandpa pulled the turnip.

They pulled and pulled but couldn't pull it up!

The doggy came.

Doggy pulled Granddaughter,

Granddaughter pulled Grandma,

Grandma pulled Grandpa,

Grandpa pulled the turnip.

They pulled and pulled but couldn't pull it up!

A kitty came.

Кошка за собачку,
Собачка за внучку,
Внучка за бабку,
Бабка за дедку,
Дедка за репку—
тянут-потянут, вытянуть не
могут!

Пришла мышка.
Мышка за кошку,
Кошка за собачку,
Собачка за внучку,
Внучка за бабку,
Бабка за дедку,
Дедка за репку—
тянут-потянут — вытянули
репку!

Kitty pulled doggy,
Doggy pulled Granddaughter,
Granddaughter pulled Grandma,
Grandma pulled Grandpa,
Grandpa pulled turnip.
They pulled and pulled but
couldn't pull it up!
A mouse came.
The mouse pulled kitty,
Kitty pulled doggy,
Doggy pulled Granddaughter,
Granddaughter pulled Grandma,
Grandma pulled Grandpa,
Grandpa pulled turnip.
They pulled and pulled and
pulled the turnip up!

ЛИСА, ЗАЯЦ И ПЕТУХ

Жили были лиса да заяц. У лисицы была избушка ледяная, а у зайца лубяная. Пришла весна красна — у лисицы избушка растаяла, а у зайца стоит по-старому.

Лиса попросилась к зайцу погреться, да зайчика—то и выгнала.

THE FOX, THE HARE AND THE ROOSTER

Once upon a time there lived a fox and a hare. The fox had an ice hut, and the hare, a hut of lime tree bark. Beautiful spring came and the fox's hut melted, while the hare's stood as before.

The fox asked the hare to let her in to warm herself and then kicked the hare out.

Идет дорогой зайчик да плачет, а ему навстречу собаки:

—Тяф, тяф, тяф! Что, зайчик плачешь?

А зайчик говорит:

— Отстаньте, собаки! Как мне не плакать? Была у меня избушка лубяная, а у лисы ледяная. Попросилась она ко мне, да меня и выгнала.

Не плачь, зайчик, говорят собаки. — Мы ее выгоним.

— Нет, не выгоните!

— Нет, выгоним!

Подошли к избушке:

—Тяф, тяф, тяф! Поди лиса вон!

А она им с печи:

—Как выскочу, как выпрыгну, пойдут клочки по закоулочкам!

Собаки испугались и ушли.

Зайчик опять идет да плачет. Ему навстречу медведь:

— О чем, зайчик, плачешь?

А зайчик говорит:

— Отстань, медведь! Как мне не плакать? Была у меня избушка лубяная, а у лисы ледяная. Попросилась она ко мне, да меня и выгнала.

— Не плачь, зайчик,— говорит медведь.— Я выгоню ее.

The hare walked along the road crying, and met some dogs.

«Bow—wow—wow, why are you crying, little hare?»

The hare said, «Leave me alone, dogs! How can I help crying? I had a hut made of lime tree bark and the fox, one of ice. She asked me to let her in and then kicked me out.»

«Don't cry, hare!» said the dogs. «We shall kick her out.»

«No you won't!»

«Yes we will!»

They went up to the hut and the dogs barked, «Bow-wow-wow! Go away, fox!»

But she replied from the stove, «When I dart out, when I jump out, only fur will fly about!»

The dogs got scared and went away.

Again the hare walked away crying. He met a bear.

«Why are you crying, hare?»

The hare said, «Leave me alone, bear! How can I help crying? I had a hut made of lime tree bark, and the fox, one of ice. She asked me to let her in and then kicked me out.»

«Don't cry, hare,» said the bear, «I'll kick her out.»

— Нет, не выгонишь! Собаки гнали— не выгнали, и ты не выгонишь.

— Нет, выгоню!

Пошли гнать.

— Поди, лиса, вон!

А она с печи:

— Как выскочу, как выпрыгну, пойдут клочки по закоулочкам!

Медведь испугался и ушел.

Идет опять зайчик да плачет, а ему навстречу бык:

— Про что, зайчик, плачешь?

— Отстань, бык! Как мне не плакать? Была у меня избушка лубяная, а у лисы ледяная. Попросилась она ко мне, да меня и выгнала.

«No you won't! The dogs tried and didn't succeed, and you won't either.»

«Yes, I will!»

They went to kick her out.

«Go away, fox!»

But she replied from the stove, «When I dart out, when I Jump out, only fur will fly about!»

The bear got scared and went away.

Again the hare walked away crying, and met a bull.

«Why are you crying, hare?»

«Leave me alone, bull! How can I help crying? I had a hut made of lime tree bark, and the fox, one of ice. She asked me to let her in and then kicked me out.»

— Пойдем, я ее выгоню.

— Нет, бык, не выгонишь! Собаки гнали— не выгнали, медведь гнал— не выгнал, и ты не выгонишь.

— Нет, выгоню.

Подошли к избушке:

— Поди, лиса, вон!

А она с печи:

— Как выскочу, как выпрыгну, пойдут клочки по закаулочкам!

Бык испугался и ушел.

Идет опять зайчик да плачет, а ему навстречу петух с косой:

— Ку-ку-реку! О чем, зайчик, плачешь?

— Отстань, петух! Как мне не плакать? Была у меня избушка лубяная, а у лисы ледяная. Попросилась она ко мне, да меня и выгнала.

— Пойдем, я выгоню.

— Нет, не выгонишь! Собаки гнали — не выгнали, медведь гнал — не выгнал, бык гнал — не выгнал, и ты не выгонишь.

— Нет, выгоню!

Подошли к избушке:

— Ку-ку-реку! Несу косу на плечи, хочу лису посечи! Поди, лиса, вон!

А она услыхала, испугалась,

«Let's go. I will kick her out.»

«No, bull, you won't. The dog tried and didn't succeed, the bear tried and couldn't, and you won't either.»

«Yes, I will.»

They went up to the hut.

«Go away, fox!»

But she replied from the stove, «As I dart out, as I jump out, only fur will fly about!»

The bull got scared and went away.

Again the hare walked away crying, and met a rooster with a sickle.

«Cock-a-doodle-doo! Why are you crying, hare?»

«Leave me alone, rooster! How can I help crying? I had a hut made of lime tree bark, and the fox, one of ice. She asked me to let her in and then kicked me out.»

«Let's go. I will kick her out.»

«No you won't! The dog tried and didn't succeed, the bear tried and couldn't, the bull tried and couldn't, and you won't either.»

«Yes I will!»

They went up to the hut.

«Cock-a-doodle-doo! I have a sickle on my shoulders. I want to cut the fox to pieces! Get out, fox!»

She heard, got scared

говорит:

— Одеваюсь...

Петух опять:

— Ку-ку-реку! Несу косу на плечи, хочу лису посечи! Поди, лиса, вон!

А она говорит:

— Шубу надеваю.

Петух в третий раз:

— Ку-ку-реку! Несу косу на плечи, хочу лису посечи! Поди, лиса, вон!

Лисица выбежала. Он ее зарубил косой-то и стал с зайчиком жить — поживать да добра наживать.

Вот тебе сказка, а мне кринка масла.

and said, «I am getting dressed!»

The rooster called again, «Cock—a—doodle—doo! I have a sickle on my shoulders. I want to cut the fox to pieces! Get out, fox!»

She said, «I am putting on my fur coat!»

The rooster called for the third time, «Cock-a-doodle-doo! I have a sickle on my shoulders. I want to cut the fox to pieces! Get out, fox!»

The fox ran out. He cut her up with his sickle and began to live with the hare and to prosper.

There's a tale for you and a crock of butter for me.

ПУЗЫРЬ, СОЛОМИНКА И ЛАПОТЬ

Жили— были пузырь, соломинка и лапоть. Пошли они в лес дрова рубить. Дошли до реки, не знают: как через реку перейти?

Лапоть говорит пузырю:

— Пузырь, давай на тебе переплывем.

— Нет, лапоть, пусть лучше соломинка перетянется с берега на берег, а мы перейдем по ней.

Соломинка перетянулась. Лапоть пошел по ней, она и переломилась. Лапоть упал в воду, а пузырь хохотал, хохотал, да и лопнул!

THE BLADDER, THE STRAW, AND THE SHOE

Once there lived a bladder, a blade of straw, and a shoe. They went to chop wood in the forest. They came to a river but didn't know how to cross it.

The shoe said to the bladder, «Bladder, let's swim across it on you.»

«No, shoe, let the straw stretch itself from shore to shore, and we will walk over on it.»

The blade of straw stretched itself. The shoe stepped on it and it broke. The shoe fell into the water, and the bladder laughed and laughed until it burst.

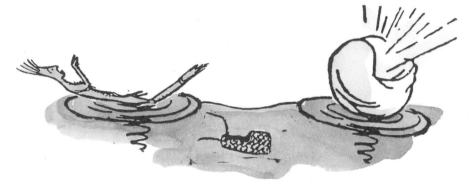

ЖУРАВЛЬ И ЦАПЛЯ

Летела сова — веселая голова. Вот она летала, летала и села, да хвостиком повертела, да по сторонам посмотрела и опять полетела.

Летала, летала и села, хвостиком повертела, да по сторонам посмотрела... Это присказка, сказка вся впереди.

Жили— были на болоте журавль да цапля. Построили они себе по концам болота избушки. Журавлю показалось скучно жить одному, и задумал он жениться.

— Дай пойду посватаюсь к цапле.

Пошел журавль— тяп, тяп. Семь верст болото месил. Приходит и говорит:

— Дома ли цапля?

— Дома.

— Выдь за меня замуж!

— Нет, журавль, не пойду за тебя замуж. У тебя ноги долги,

THE CRANE AND THE HERON

There flew an owl who had a merry mind. She flew and flew, perched, wagged her tail, looked around and flew off again.

She flew and flew, perched, wagged her tail and looked around... That's the prelude — the tale lies ahead.

Once upon a time a crane and a heron lived in a swamp. They built themselves little huts at either end of it. The crane became bored living alone and decided to get married.

«I'll go propose to the heron.»

Off went the crane — tap, tap. He sloshed through seven versts of swamp. He arrived and asked, «I's the heron at home?»

«She is.»

«Marry me!»

«No, crane, I will not marry you. You have long legs and a short

16

платье коротко. Сам худо летаешь и кормить-то меня тебе нечем. Ступай прочь, долговязый!

Журавль, несолоно хлебавши, ушел домой.

Цапля после раздумалась и сказала:

Что одной-то жить? Лучше пойду замуж за журавля.

Приходит к журавлю и говорит:

— Журавль, возьми меня замуж!

— Нет, цапля, мне тебя не надо. Не хочу жениться. Не беру тебя замуж. Убирайся!

Цапля заплакала со стыда и воротилась назад. Журавль раздумался и сказал:

dress. You fly poorly and have no way to feed me. Go away, Daddy-long-legs!»

The crane, having achieved nothing, went at home.

The heron later changed her mind and said, «Why live alone? It would be better if I married the crane.»

She went to crane and said, «Crane, take me for your wife!»

«No, heron, I don't need you. I don't want to get married. I wont take you for my wife. Get out!»

The heron wept from shame and went back. The crane changed his mind and said, «There's no

— Напрасно не взял за себя цаплю. Ведь одному— то скучно. Пойду теперь и возьму ее замуж.

Приходит и говорит:

— Цапля! Я надумал на тебе жениться. Поди за меня.

— Нет, журавль, не пойду за тебя замуж!

Пошел журавль домой. Тут цапля раздумалась:

— Зачем отказала? Что одной — то жить? Лучше пойду замуж за журавля.

Приходит свататься, а журавль не хочет.

Вот так-то и ходят они до сих пор один к другому, да никак не женятся.

reason I didn't take the heron for myself. I go now and take her for my wife.»

He went and said, «Heron! I have a notion to marry you. Marry me.»

«No, crane, I won't marry you!»

The crane went home.

Then the heron changed her mind. «Why did I refuse? Why live alone? It's better that I should marry the crane.»

She went to propose but the crane didn't want to.

And so they go on to this very day, proposing to one another, but somehow they just can't get married.

ГУСИ-ЛЕБЕДИ

Жили старичок со старушкою. У них была дочка да сынок маленький.

— Дочка, дочка! — говорила мать. — Мы пойдем на работу, принесем тебе булочку, сошьем платьице, купим платочек. Будь умницей, береги братца, не ходи со двора.

Старшие ушли, а дочка забыла, что ей приказывали. Посадила братца на травке под окошком, а сама побежала на улицу, заигралась, загулялась. Налетели гуси-лебеди, подхватили мальчика, унесли на крылышках.

Пришла девочка, глядь — братца нету! Ахнула, кинулась туда-сюда — нету!

Звала, заливалась слезами, причитала, что худо будет от отца и матери. Братец не откликнулся!

Выбежала в чистое поле.

THE SWAN GEESE

An old man lived with an old woman. They had a daughter and a little son.

«Daughter, daughter,» said the mother, «we are going to work. We shall bring you back a bun, sew you a dress and buy you a kerchief. Be sensible, watch your little brother, do not leave the yard.»

The elders left and the daughter forgot what they had ordered her to do . She sat her brother down on the grass beneath the window sill, ran out into the street, played and strolled. Down flew some geese, seized the little boy and carried him off on their wings.

The girl came back and looked — her brother was gone! She gasped and dashed hither and thither — gone!

She called, wept and lamented that her father and mother would punish her. Her little brother did not answer.

She ran into the open field. The

Появились вдали гуси— лебеди и пропали за темным лесом.

Гуси— лебеди давно себе дурную славу нажили. Много шкодили и крали маленьких детей. Девочка догадалась, что они унесли ее братца, бросилась их догонять.

Бежала, бежала, стоит печка.

— Печка, печка, скажи, куда гуси полетели?

— Съешь моего ржаного пирожка, — скажу.

— О, у моего батюшки даже пшеничные не едятся.

swan geese appeared in the distance and vanished behind a dark forest.

The swan geese long ago had acquired an evil reputation. They had behaved badly and stolen little children. The girl guessed that they had carried off her brother and rushed after them.

She ran and ran and reached a stove.

«Stove, stove, tell me, where have the geese flown?»

«Eat my rye roll. I will tell you.»

«Oh, in my father's house we don't even eat wheat rolls.»

Печь не сказала.

Побежала дальше, стоит яблоня.

— Яблоня, яблоня, скажи, куда гуси полетели?

— Съешь моего лесного яблока, — скажу.

— О, у моего батюшки и садовые не едятся.

Яблоня ей не сказала.

Побежала она дальше, стоит молочная река, кисельные берега.

— Молочная река, кисельные берега, скажи, куда гуси полетели?

The stove did not tell her.

She ran farther and reached an apple tree.

«Apple tree, apple tree, tell me, where have the geese flown?»

«Eat one of my wild apples. I will tell you.»

«Oh, in my father's house we don't even eat orchard apples.»

The apple tree did not tell her.

She ran farther and saw a river of milk with shores of pudding.

«River of milk, shores of pudding, tell me, where have the geese flown?»

— Съешь моего простого киселя с молоком, — скажу.

— О, у моего батюшки и сливочки не едятся.

И долго бы ей бегать по полям да бродить по лесу, да, к счастью, попался еж. Хотела она его толкнуть, но побоялась наколоться и спрашивает:

— Ежик, ежик, не видал ли, куда гуси полетели?

— Вон туда-то! И он указал ей дорогу.

Побежала она и видит. — Стоит избушка на курьих ножках, стоит— поворачивается. В избушке сидит баба-яга, морда жилиная, нога глиняная. Сидит и братец на лавочке, играет золотыми яблочками. Увидела его сестра, подкралась, схватила и унесла. А гуси за нею в погоню летят. Нагонят злодеи, куда деваться?

Бежит молочная река, кисельные берега.

— Речка-матушка, спрячь меня!

— Съешь моего киселя.

Нечего делать, съела. Речка ее посадила под бережок. Гуси пролетели.

Вышла она, сказала: «Спасибо.» — и опять бежит с братцем.

«Eat my simple pudding with milk. I will tell you.»

«Oh, in my father's house we don't even eat cream.»

She would have run in the fields and wandered in the woods for a long time if she had not, lucidly met a hedgehog. She wanted to nudge him, but was afraid of getting pricked.

She asked, «Hedgehog, hedgehog, haven't you seen where the geese have flown?»

«Over there,» and showed her.

She ran and saw. There stood a little hut on chicken legs, turning round and round. In the little hut sat Baba Yaga with a veined face and clay legs. The little brother was sitting on a small bench, playing with golden apples. His sister saw him, sneaked up to him, grabbed him, and carried him away. But the geese flew in pursuit of her. If the villians caught up, where was there to hide?

There flowed the river of milk with shores of pudding.

«River, little mother, hide me!»

«Eat my pudding.»

There was nothing to be done. She ate it. The river put her beneath the shore, and the geese flew by.

She came out, said «Thank you,» and again ran on with her brother.

А гуси воротились, летят навстречу. Что делать? Беда!

Стоит яблоня.

— Яблоня, яблоня— матушка, спрячь меня!

— Съешь мое лесное яблоко.

Поскорей съела. Яблоня ее заслонила веточками, прикрыла листиками. Гуси пролетели.

Вышла и опять бежит с братцем.

А гуси увидели — да за ней; совсем налетают. Уж крыльями бьют. Того и гляди — из рук вырвут! К счастью, на дороге печка.

The geese turned back and flew to meet her. What was there to do? What trouble!

There stood the apple tree.

«Apple tree, apple tree, little mother, hide me!»

«Eat my wild apple.»

She ate it quickly. The apple tree shielded her with branches and covered her with leaves. The geese flew by.

She came out and again ran on with her brother.

The geese saw her and flew right after her. They were already beating their wings. At any moment they would tear him from her hands. Luckily, the stove was in her path.

— Сударыня печка, спрячь меня!

— Съешь моего ржаного пирожка.

Девочка поскорей пирожок в рот, а сама в печь, села в устьецо. Гуси полетали — полетали, покричали— покричали и ни с чем улетели.

А она прибежала домой, да хорошо еще, что успела прибежать, а тут отец и мать пришли.

«Madam Stove, hide me!»

«If you eat my rye roll.»

The girl quickly stuck the roll into her mouth, went into the stove and sat in the opening. The geese flew and flew, honked and honked and flew away without anything.

She ran home, and it was a good thing that she ran fast, for just then her father and mother arrived.

ТЕРЕМ МУХИ

Ехал мужик с горшками, потерял большой кувшин. Залетела в кувшин муха и стала в нем жить — поживать. День живет, другой живет.

Прилетел комар и стучится:

— Кто в хоромах, кто в высоких?

— Я, муха-шумиха. А ты кто?

— А я, комар-пискун.

— Иди ко мне жить.

Вот и стали вдвоем жить.

Прибежала к ним мышь и стучится:

— Кто в хоромах, кто в высоких?

— Я, муха-шумиха, да комар-пискун. А ты кто?

— А я, мышка-норушка?

— Иди к нам жить.

И стало их трое. Прискакала лягушка и стучится:

THE FLY'S TOWER

A peasant riding with his pots lost a big jug. Into the jug flew a fly and began to live and set up house. He lived one day, then another.

A mosquito flew up and knocked, «Who is the temple, who's in the tower?»

«I am buzzer the fly. And who are you?»

«I am squeakier the mosquito.»

«Come live with me.»

So they began to live together.

A mouse ran up to them and knocked.

«Who is in the temple, who's in the tower?»

«I am buzzer the fly and squeakier the mosquito. And who are you?»

«I am burrower the mouse.»

«Come live with us.»

So the three began to live together. A frog galloped up and knocked.

— Кто в хоромах, кто в высоких?

— Я, муха-шумиха, комар-пискун, да мышка-норушка. А ты кто?

— А я, лягушка-квакушка.

— Иди к нам жить.

Вот и стало их четверо.

Пришел заяц и стучится:

— Кто в хоромах, кто в высоких?

— Я, муха-шумиха, комар-пискун, мышка-норушка, да лягушка-квакушка. А ты кто?

«Who is in the temple, who's in the tower?»

«I am buzzer the fly, squeakier the mosquito and burrower the mouse. Who are you?»

«I am croaker the frog.»

«Come live with us.»

So the four began to live together.

A hare came and knocked.

«Who is in the temple, who's in the tower?»

«I am buzzer the fly, squeakier the mosquito burrower the mouse and croaker the frog. Who are you?»

— А я, зайка-попрыгайка.

— Ступай к нам.

Стало их теперь пятеро.

Прибрела лисица и стучится:

— Кто в хоромах, кто в высоких?

— Я, муха-шумиха, комар-пискун, мышка-норушка, лягушка-квакушка, да зайка-попрыгайка. А ты кто?

— А я, лисичка— сестричка.

— Ступай к нам.

Прибрела собака и стучится:

«I am leaper the hare.»

«Come to us.»

Now there were five.

Then came a fox and knocked.

«Who is in the temple, who's in the tower?»

«I am buzzer the fly, squeakier the mosquito burrower the mouse, croaker the frog and leaper the hare. Who are you?»

«I am sister the fox.»

«Come in.»

Up trudged a dog and knocked.

— Кто в хоромах, кто в высоких?

— Я, муха-шумиха, комар-пискун, мышка-норушка, лягушка-квакушка, зайка-попрыгайка, да лисичка-сестричка. А ты кто?

— А я, гам— гам!

— Иди к нам жить.

Собака влезла.

Прибежал еще волк и стучится:

— Кто в хоромах , кто в высоких?

— Я, муха- шумиха, комар-пискун, мышка-норушка, лягушка-квакушка, зайка-попрыгайка, лисичка-сестричка, да гам— гам. А ты кто?

— А я, волчище-серый хвостище.

— Иди к нам жить.

Вот живут себе все вместе.

Узнал про эти хоромы медведь. Приходит и стучится. Чуть хоромы живы:

— Кто в хоромах, кто в высоких?

— Я, муха-шумиха, комар-пискун, мышка-норушка, лягушка-квакушка, зайка-попрыгайка, лисичка-сестричка, гам-гам, да волчище-серый

«Who is in the temple, who's in the tower?»

«I am buzzer the fly, squeakier the mosquito burrower the mouse, croaker the frog, leaper the hare and sister the fox. Who are you?»

«I am hubber the dog.»

«Come live with us.»

The dog climbed in.

Then up ran a wolf and knocked.

«Who is in the temple, who's in the tower?»

«I am buzzer the fly, squeakier the mosquito burrower the mouse, croaker the frog, leaper the hare, sister the fox and hubber the dog. Who are you?»

«I am gray fur the wolf.»

«Come live with us.»

There they all lived together.

A bear came to know of this temple. He walked up and knocked. Scarcely was the temple alive.

«Who is in the temple, who's in the tower?»

«I am buzzer the fly, squeakier the mosquito burrower the mouse, croaker the frog, leaper the hare, sister the fox, hubber the dog and gray fur the wolf. And who are

хвостище. А ты кто?

— А я лесной гнет!

Сел на кувшин и всех раздавил.

you?»

«I am the forest weight!»

He sat on the jug and crushed them all.

ЛИСА И ЖУРАВЛЬ

Подружилась лиса с журавлем. Вот вздумала однажды лиса угостить журавля и пошла звать его к себе в гости.

— Приходи, куманек! Приходи, дорогой! Уж я как тебя угощу!

Идет журавль на званый пир. А лиса наварила манной каши и размазала ее по тарелке. Подала и потчует.

— Покушай, мой голубчик-куманек. Сама стряпала.

Журавль хлоп-хлоп носом, стучал, стучал, ничего не попадает. А лисица в это время лижет себе да лижет кашу, так всю сама и скушала.

Каша съедена; лисица говорит:

— Не обессудь, любезный кум. Больше потчевать нечем.

— Спасибо, кума, и на этом. Приходи ко мне в гости.

На другой день приходит лиса, а журавль приготовил

THE FOX AND THE CRANE

The fox made friends with the crane. The fox once had a notion to treat the crane to dinner and went to invite him to her house.

«Come godfather! Come dear! How I'll entertain you!»

The crane went to the dinner party. The fox had cooked farina cereal and spread it over a plate. She served it and urged.

«Eat, my friend-godfather, I cooked it myself.»

The crane went peck-peck with his bill, knocked and knocked, but got nothing. Meanwhile, the fox licked and licked the cereal until she had eaten it all.

The cereal eaten, the fox said, «Don't be offended dear godfather. There is nothing more to offer you.»

«Thank you, godmother for that. Come to visit me.»

The next day the fox went, and the crane made cold soup. He

окрошку. Налил в кувшин с узким горлышком, поставил на стол и говорит:

— Кушай, кумушка. Право, больше потчевать нечем.

Лиса начала вертеться вокруг кувшина. Так зайдет и этак, и лизнет его, и понюхает, все ничего не достанет. Не лезет голова в кувшин.

А журавль меж тем клюет себе да клюет, пока все не поел.

poured it into a pitcher with a narrow neck and put it on the table. He said, «Eat godmother. Truly, there's nothing more offer you.»

The fox began to spin around the pitcher. She approached it one way, then another. She licked it and sniffed it, but couldn't get anything. Her head wouldn't fit into the pitcher.

Mean while the crane sucked and sucked until he had eaten everything up.

— Ну, не обессудь, кума. Больше угощать нечем.

Взяла лису досада, думала, что наестся на целую неделю. Пришла лиса домой несолоно хлебавши.

Как аукнулось, так и откликнулось! С тех пор и дружба у лисы с журавлем врозь.

«Don't be offended godmother. There's nothing more to offer you.»

The fox was annoyed, having thought she would eat for the whole week. She went home having gotten nothing.

It was tit for tat! From that moment on, the friendship between fox and the crane was over.

КОТ, ПЕТУХ И ЛИСА

Жил кот с кочетком. Кот идет за лыками в лес и говорит кочетку:

— Если лиса придет звать в гости и станет кликать, не высовывай ей головочку, а то унесет тебя.

Вот пришла лиса звать в гости, стала кликать:

— Кочетунюшка, кочетунюшка! Пойдем на гуменцы золоты яблочки катать.

Он глянул. Она его и унесла. Вот он и стал кричать:

— Котинька, котинька! Несет меня лиса за крутые горы, за быстрые воды.

Кот услыхал, пришел, избавил кочетка от лисы

Кот опять идет за лыками и опять приказывает:

— Если лиса придет звать в гости, не высовывай головку, а то опять унесет.

THE CAT, THE ROOSTER AND THE FOX

Once there lived a cat with a rooster. The cat went to the forest for some bark. He told the rooster, «If a fox comes to ask you to visit and begins to call out, don't lean your head out or she'll carry you away.»

Along came a fox, asked them to visit and began to call out, «Little rooster, nice little rooster, let's go to the barn and roll golden apples.»

He looked out. She carried him off. He began to call out, «Cat, dear cat! The fox is carrying me to the steep mountains beyond the swift waters.»

The cat heard, went and saved the rooster from the fox.

Again the cat went out for bark and again gave the order, «If the fox comes to visit don't lean your head out or she'll carry you away.»

Вот лиса пришла и по-прежнему стала кликать. Кочеток глянул, она его и унесла. Вот он и стал кричать:

— Котунюшка, котунюшка! Несет меня лиса за крутые горы, за быстрые воды.

Кот услыхал, прибежал, опять избавил кочетка.

Кот опять собрался идти за лыками и говорит:

— Ну, теперь я уйду далеко. Если лиса опять придет звать в гости, не высовывай головку, а то унесет, и не услышу, как будешь кричать.

Кот ушел. Лиса опять пришла и стала опять кликать по-прежнему.

Кочеток глянул, лиса опять унесла его.

The fox came and, as before, began to call out. The rooster looked out and she carried him off. He began to cry, «Cat, dear cat! The fox is carrying me to the steep mountains beyond the swift waters.»

The cat heard, came running and again saved the rooster.

Again the cat got ready to go after bark and said, «Well, this time I'm going far away. If the fox again comes to visit, don't stick your head out, because she'll carry you away and I won't hear when you begin to shout.»

The cat left. Again the fox came and again began to call out as before.

The rooster looked out. Again the fox carried him away.

Кочеток стал кричать. Кричал, кричал — нет, не идет кот.

Лиса принесла кочетка домой и собралась уж жарить его. Тут прибежал кот, стал стучать хвостом об окно и кричать:

— Лисонька! Живи хорошенько своим подворьем: один сын — Димеша, другой — Ремеша, одна дочь — Чучилка, другая — Пачучилка, третья — Подметишесток, четвертая — Подайчелнок!

К коту стали выходить лисонькины дети, один за другим. Он их всех поколотил.

После вышла сама лиса. Он и ее убил и избавил кочетка от смерти.

Пришли оба домой. Стали жить да поживать да денежки наживать.

The rooster began to shout. He shouted and shouted, but no, the cat didn't come.

The fox took the rooster home and got ready to fry it. Just then, up ran the cat, who started knocking on the window with his tail and calling, «Fox, you live very well by your thievery: one son, Dimesha; another, Remesha; one daughter, Chuchilka; another, Pachuchilka; a third, Perched-on-the-Hearth; a fourth, Shuttle-bearer!»

The fox's children went out to the cat, one by one. He whipped them all.

Afterwards, went the fox herself. He killed her and saved the rooster from death.

Both the cat and the rooster returned home. They began to live well and prosper.

ВОЛК И КОЗА

Жила— была коза, сделала себе в лесу избушку и нарожала деток. Часто уходила коза в бор искать корму. Как только уйдет, козлятки запрут за ней избушку, а сами никуда не выходят. Воротится коза, постучится в дверь и запоет:

Козлятушки, детушки!
Отопритеся, отворитеся!
Ваша мать пришла,
Молока принесла.
Бежит молоко по вымечку,
Из вымечка в копытечко,
Из копытечка в сыру землю.

Козлятки тотчас отопрут двери и впустят мать. Она покормит их и опять уйдет в бор. А козлятки запрутся крепко-накрепко.

Волк все это и подслушал. Выждал время, и только коза — в бор, он подошел к избушке и закричал своим толстым голосом:

THE WOLF AND GOAT

Once upon a time there was a goat who built herself a little hut in me woods and bore kids. The goat often went into the pine forest to look for food. As soon as she left, the kids locked the little hut after her but went nowhere themselves. When the goat returned, she would knock at the door and sing:

My little kids, little children!
Unlock the lock! Open up!
Your mother is here,
And has brought you milk.
Milk runs from the udder,
From the udder to the hoof,
From the hoof to the damp earth.

At once the kids would unlock the door and let their mother in. She would feed them and go into the forest again. The kids would lock the door as tightly as could be.

The wolf overheard all this. He waited for a time and just when the goat had gone to the forest, he went to the little hut and cried in his thick voice:

Вы, детушки, вы батюшки!
Отопритеся, отворитеся!
Ваша мать пришла,
Молока принесла.
Полны копытца водицы!
А козлятки отвечают:

— Слышим, слышим— не матушкин голосок! Наша матушка поет тонким голоском.

Волк ушел и спрятался.

Вот приходит коза и стучится:

Козлятушки, детушки!
Отопритеся, отворитеся!
Ваша мать пришла,
Молока принесла.
Бежит молоко по вымечку,
Из вымечка в копытечко,
Из копытечка в сыру землю.

Козлятки впустили мать и рассказали ей, как приходил к ним волк и хотел их съесть.

You little children, you little dears!
Unlock the lock! Open up!
Your mother is here,
And has brought you milk
Her hoofs are water filled!
But the kids answered, «We hear you, we hear you, but yours is not Mother's voice! Our mother sings in a fine voice.»

The wolf went away and hid himself.
Then the goat came and knocked at the door:

My little kids, little children!
Unlock the lock! Open up!
Your mother is here,
And has brought you milk.
Milk runs from the udder,
From the udder to the hoof,
From the hoof to the damp earth.

The kids let their mother in and told her how a wolf had come and wanted to eat them.

Коза покормила их и, уходя в бор, строго-настрого наказала: коли придет кто к избушке и станет просить толстым голосом и не переберет всего, что она им причитает,— того ни за что не впускать в двери.

Только ушла коза, волк прибежал к избе, постучался и начал причитать тоненьким голоском:

Козлятушки, детушки!
Отопритеся, отворитеся!
Ваша мать пришла,
Молока принесла.
Бежит молоко по вымечку,
Из вымечка в копытечко,
Из копытечка в сыру землю.

Козлятки отперли двери, волк вбежал в избу и всех съел. Только один козленочек схоронился, в печь влез.

Приходит коза. Сколько ни причитала — никто ей не отзывается. Подошла ближе к дверям и видит, что все отворено. В избу — там все пусто. Заглянула в печь и нашла одного козленочка.

Как узнала коза о своей беде, села она на лавку, начала горько плакать и припевать:

Ой вы, детушки, мои, козлятушки.
На что отпиралися— отворялися, злому волку доставалися?

The goat fed them and, leaving for the woods, gave them strict orders. If anyone should come to the little hut and beg in a thick voice, not running through all that she recited to them, under no circumstances were they to let him through the door.

As soon as the door the goat had gone, the wolf ran to the hut, knocked and began to chant in a fine voice:

My little kids, little children!
Unlock the lock! Open up!
Your mother is here,
And has brought you milk.
Milk runs from the udder,
From the udder to the hoof,
From the hoof to the damp earth.

The kids unlocked the door and the wolf ran into the hut and ate them all. Only one little kid was saved by climing into the stove.

The goat came back. But no matter how much she sang, no one answered. She went closer to the door and saw that the hut was open. There all was empty. She looked into the stove and found one kid.

When the goat learned of her misfortune, she sat down on a bench, began to weep bitterly and sang, «Oh, my baby kids! Why did you unlock open up to the wicked wolf?

Он вас всех съел и меня, козу, со великим горем, со кручиной сделал.

Услышал это волк, входит в избушку и говороит козе:

— Ах ты, кума, кума! Что ты на меня грешишь? Неужели— гаки я сделаю это! Пойдем в лес, погуляем.

— Нет, кум, не до гулянья.

— Пойдем!— уговаривает волк.

Пошли они в лес, нашли яму. В этой яме разбойники кашицу недавно варили. Оставалось в ней еще довольно-таки огня.

Коза говорит волку:

— Кум, давай попробуем, кто перепрыгнет через эту яму?

Стали прыгать.

Волк прыгнул, да и ввалился в горячую яму. Брюхо у него от огня лопнуло, и козлятки выбежали оттуда да прыг к матери.

И стали они жить да поживать. Ума наживать, а лиха избегать.

He has eaten you all and left me, with great grief and sadness.»

The wolf heard this, went into the hut and said to the goat, «Ah, godmother, godmother, why do you slander me? Would I really do such a thing? Let us go to the forest and take a walk.»

«No, godfather, I am not up to walking.»

«Let us go,» the wolf insisted.

They went into the forest and found a pit. In that pit some thieves had recently cooked kasha. There was still some fire left in it.

The goat said to the wolf, «Godfather, let us see which of us can jump across the pit.»

They prepared to jump.

The wolf jumped and fell into the hot pit. His belly burst from fire and the kids ran out of it and jumped to their mother.

From then on they lived happily, acquired wisdom, and avoided evil.

ББК 81.2 АНГЛ.

Книга для детей младшего и школьного возраста,
для изучения английского языка.
The Book is intended for younger schoolchildren for studing Russian

Собрал: А. Афанасьев	Complied by A. Afanasiev
Перевод и литературная обработка параллельного текста: Д. Мартин (США), Л. Лисицкая (РФ)	Translating and editing of the bilingual text by D. Martin(USA) and L. Lisitskaya (Russia)
Художник: В. Ворогушин	Illustrated by V. Vorogushin
Художественный редактор: Л. Лисицкая	Artistic editor: L. Lisitskaya
Технические редакторы: Е. Леонтьева, Т. Ворогушин	Technical editors: E. Leont`yeva, T. Vorogushin
Рисунки выполнены по мотивам иллюстраций к Русским народным сказкам	The pictures are made on the motives to the Russian Fairy Tales illustrations.

Перевод на английский язык дан близко к тексту, расположен
параллельно с русским текстом для удобства изучения языков.
© Параллельный перевод, иллюстрации в цвете Л. Лисицкая, В. Ворогушин
E-mail: Leontieva 68@mail.ru

ISBN 5-90212801-3
По вопросам приобретения продукции звонить по тел./факсу (095) 9488692
Подписано в печать 19.04.2005 г. Формат 84x108/16.
Бумага офсетная 160 гр. Печать офсетная 2,5 п.л.
Тираж 3000.
Заказ № 4909.

Отпечатано с готовых диапозитивов издательства
на ОАО "Тверской полиграфический комбинат"
170024, г. Тверь, пр-т Ленина, 5. Телефон: (0822) 44-42-15
Интернет/Home page - www.tverpk.ru Электронная почта (E-mail) -sales@tverpk.ru